Catherine

103

Pour Lou

Albums de Quentin Gréban:

Capucine
Capucine la petite sorcière
Suzette
Olga
Nounours grognon
Un cadeau pour Léa
Dis papa, pourquoi ?
Clémentine et Mimosa
Les trois petits cuisiniers
Zéphir

16-18, rue de l'Ouvrage
B-5000 Namur

ISBN 978-2-87142-638-7
D/2008/3712/06

Imprimé en Belgique

Quentin Gréban

Dis Papa...
pourquoi les zèbres ne font-ils pas du patin à roulettes ?

Mijade

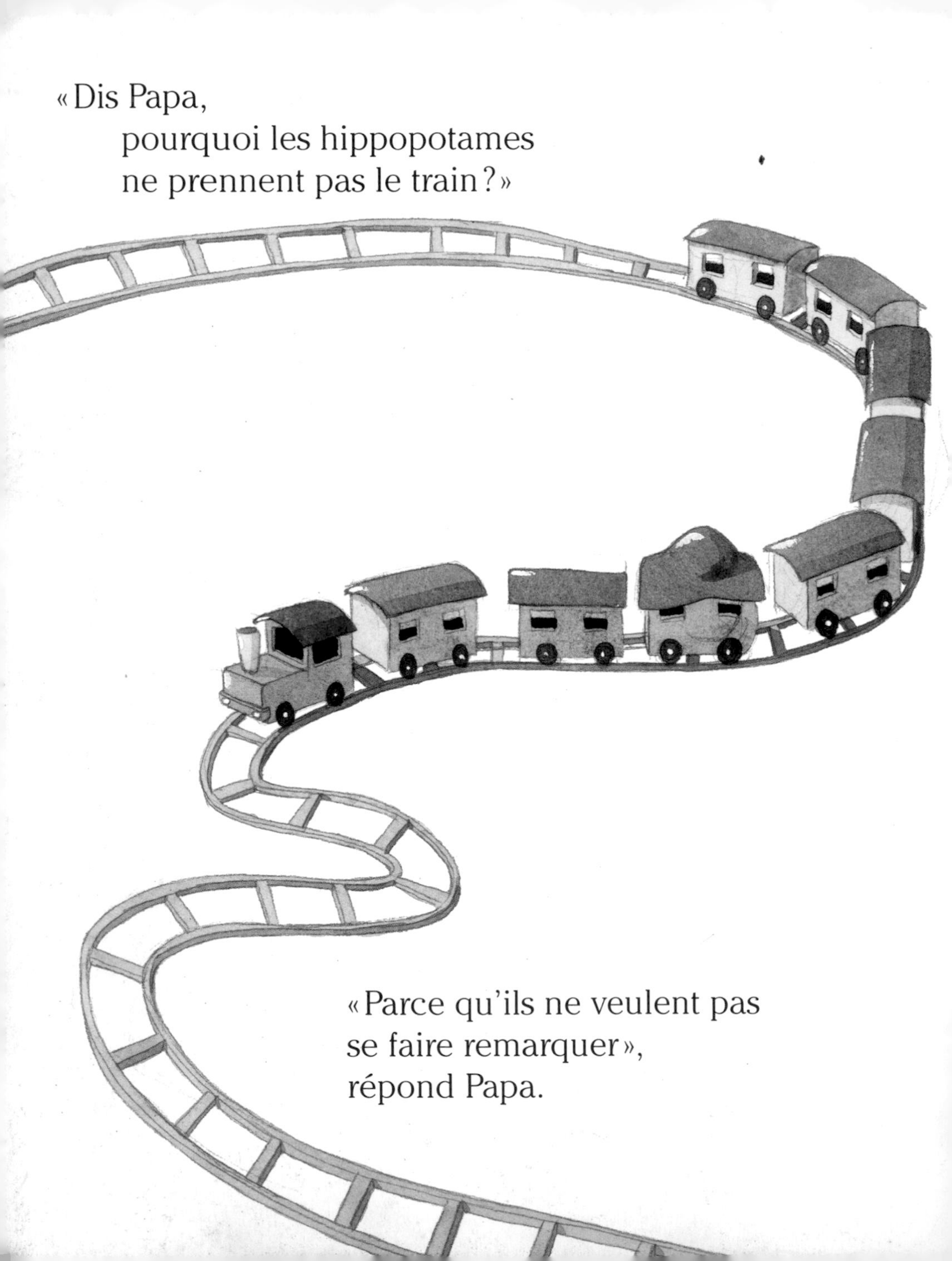

« Dis Papa,
pourquoi les hippopotames
ne prennent pas le train ? »

« Parce qu'ils ne veulent pas
se faire remarquer »,
répond Papa.

« Dis Papa,
pourquoi les canards
ne pilotent pas des avions ? »

« Parce qu'ils voleraient trop vite.
Leurs canetons ne pourraient pas les suivre »,
répond Papa.

« Dis Papa,
pourquoi les lions
ne vont jamais chez le coiffeur ? »

« Parce qu'ils seraient trop mignons.
Plus personne ne les prendrait au sérieux »,
répond Papa.

« Dis Papa,
pourquoi les pingouins
ne vont pas à la piscine ? »

« Parce qu'ils viendraient en famille,
et ils n'auraient pas la place pour nager »,
répond Papa.

« Dis Papa,
pourquoi les chiens
sont interdits dans les musées ? »

« Parce que leur maître pourrait les perdre »,
répond Papa.

«Dis Papa,
pourquoi les ours polaires
ne mangent pas de crème glacée?»

«Parce qu'ils ne veulent pas faire de taches
sur la banquise», répond Papa.

«Dis Papa,
pourquoi les loups
ne jouent pas à saute-mouton ?»

«Parce qu'on ne joue pas avec la nourriture !»
répond Papa.

«Dis Papa,
pourquoi les éléphants
ne deviennent pas ballerines?»

«Parce qu'ils ont peur des petits rats de l'Opéra»,
répond Papa.

« Dis Papa,
pourquoi les kangourous
ne font pas de baby-sitting
pour les coccinelles ? »

« Parce que leur poche est déjà pleine »,
répond Papa.

« Dis Papa,
pourquoi les moustiques
ne vont pas chez le vétérinaire ? »

« Parce qu'ils ont peur des piqûres »,
répond Papa.

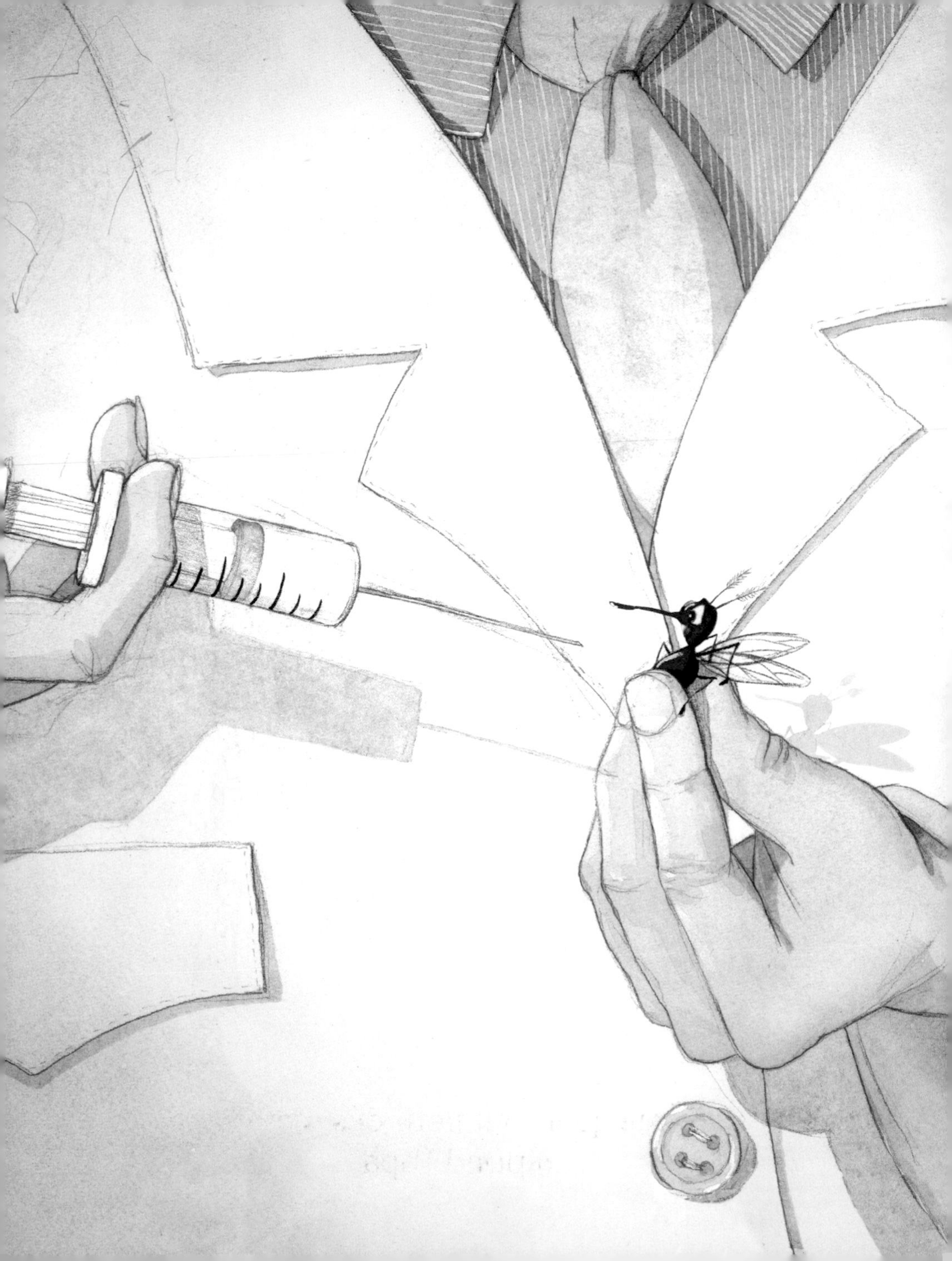

« Dis Papa,
pourquoi les cerfs
ne jouent pas au cerf-volant ? »

« Parce qu'ils s'emmêleraient les bois dans la ficelle »,
répond Papa.

«Dis Papa,
pourquoi les dragons
ne peuvent pas être pompiers?»

«Parce que les dragons, ça n'existe pas!»
répond Papa.